KB178178

기억 헛간

유영숙

<차 례>

PART Ⅱ <그리움>

PART Ⅲ <삶>

PART Ⅳ <귀향>

시를 가꾸며

처음 살아보는 삶이라, 세상은 낯선 것 투성이입니다. 하고 싶은 것 다 해보고 살 수 있는 만만한 꿈을 꾸었던 철부지 시절이 그리웠습니다. 수없이 벽에 부딪히며 밀어 넣었던 꿈들, 그 꿈을 꺼내어 돌보고 가꾸는 일을 이제 막 시작했습니다.

지난겨울 매일 한 편의 시를 쓰는 작업을 시작하였습니다. 그리고 〈바람은 늘 돌아오지 않는다〉라는 첫 시집을 완성하였고 출판하였습니다. 처음에는 인쇄된 저의 시를 차마 읽지 못했습니다. 아마 설렘이 너무 컸거나, 부끄러움이 있었는지 모릅니다. 꿈을 실천한다는 일은 앞으로 계속 맞닥뜨릴 수많은 감정들을 헤치고 나가야 할 것입니다.

겨울이 지나고 봄이 오자 다시 시를 만나고 싶었습니다. 춥고 바람 부는 겨울의 벌판에서 쓸쓸하고 외로웠던 나 자신과 이웃을 보며 위로 시를 썼다면, 봄이 주는 환희와 생동감을 함께 기뻐하고 같이 힘을 내보자고 어깨동무하며 색다른 시를 써 보고 싶었습니다. 봄, 여름, 그리고 그리움과 노을, 다채로운 시 소재들을 만났습니다. 사방에서 시를 끄집어 낼 수 있는 자연의 위대함이 고맙고 감사한 일이었습니다.

매일 시를 필사하고, 1일 1시를 쓰면서 문학 고을에서 '노을 산책', '생의 우물'의 시가 당선되어 시인으로 등단하게 되어서 더욱 감사한 시간이었습니다.

함께 필사하고, 1일 1시를 쓰면서 서로를 다독여주었던 순주 님, 민들레 님, 소연님께 감사합니다.

PART I 〈봄, 여름〉

봄, 봄!

초록이 사방에서 춤춘다
봄이 오니
초록도 수만 가지로다

숨을 쉬니 사는 줄 알았다
봄이 오니 사는 거로다

초록이 수만 가지로 춤추며
다시 힘내보라고
다시 꿈꿔보라고
바람도 보내주고 햇살도 보내주고
온기를 품은 바람을 보내준다

봄이다
힘내고 살아야겠다

봄 쇼핑

나는 봄 쇼핑 중독자

어제도 콧바람 넣고
봄 쇼핑하러 다녀왔다
창밖의 초록 가운데서
살랑살랑 손짓하며 유혹하는 철쭉은
최고의 쇼호스트다

오늘도 유혹에 끌리어
봄 쇼핑을 나선다

철쭉꽃들 사이에 신상품이
고개를 내민다
연보라와 흰 들꽃들이 유혹한다
한도 무제한 카드로 긁어
가슴에 담는다

내일의 신상을 기대하며 걷는다

봄 쇼핑을 유도하는

최고의 쇼핑몰 바람잡이는 바람이다

봄 콘서트

푸른 풀이 바람에 춤춘다
풀 사이에 온갖 꽃들이 자태를 뽐낸다
나무는 적당히 그늘을 드리워주고
흙은 그들의 뿌리를 잘 붙들어 준다

풀은 알토이고
꽃들은 소프라노이며
나무는 테너
흙은 베이스

그리고 지휘자는 바람이다

봄볕

어제도 그제도
고단한 하루를 보냈다

고단한 하루는
외로운 하루보다 견딜만하다

내일은 오늘보다
조금 고단하다 해도 덜 외로운 날이기를

춥고 시리던 겨울이 끝나가는 창가로
아련한 봄날의 볕이 말을 걸어온다

희망 볕이다

봄비 Ⅰ

겨울의 지루함에 벗어나
꽃에 홀려 있었다
자연이 베푸는 잔치에서 취해있었다

겨울의 틱틱한 갈색에서 벗어나
초록이 춤추니 마음이 들떠
하늘을 향해 기도하지 못했다

태양이 강렬하게 봄을 부추겨주니
거만한 마른 땅 위에서
풀과 꽃들은 뽐내고 있었다

태양이 작렬하던 어느 순간
농부의 한숨을 들었다
땅은 메말라 갈라지고
풀들은 목말라 축축 처져

물을 갈망하고 있었다

비가 내린다
꽃들이 고개를 들어
하늘을 우러르고
풀들은 아마
더 진한 초록성장을 하리라

봄비 Ⅱ

미모로 뽐내고 있는 꽃들과
푸른 싹을 키워내며
한껏 으쓱해진 나무들을
조용히 나무라듯 뿌린다

만개한 꽃들은 고개 숙이고
한껏 부풀어 올랐던 꽃들은
더 이상 피어오르지 못하고
땅에 떨어져 밟힌다

달래고 나무라고
지나친 것은 잠재우고
그리고 또 새로운 날을 맞도록
하늘이 비를 보낸다

엄마의 봄날

봄이 오면 늘 엄마는
새벽부터 집에 없었다
해 질 녘에 돌아와
큰 소쿠리를 마당에 풀어놓았다

소쿠리 안에
온갖 푸른나물들 사이에는
우리 오 남매가 목 놓아 기다리던
싱아가 늘 있었다

살아온 기억들을 놓치기 시작하면서도
봄이 되면 엄마는
저 산에 고사리 취나물이 많다고
가고 싶어 했다

소쿠리 안에 가득 들어있던 나물들은

엄마의 소소한 행복이었다

기억과 몸이 쇠잔해지는 마지막까지

엄마는 봄날의 기억을

붙들고 있을 것 같다

꽃을 심다

손바닥만 한 마당에
해마다 채소 심었던 자리에
꽃을 심었다

채소를 심었을 때엔
이웃집 채소와 비교하여
열심히 비료 주고 물 부어주고
먹어치우기 바빴다

꽃이 그 자리를 대신하고선
그 어느 꽃보다
내 밭의 꽃이 이쁘다
그냥 그 자리에서
바라만 보아도 행복해진다

아마 다 커버린 내 자식들도

내겐 꽃이었나 보다

봄의 향기

수줍게 담벽에서
봄을 알리던 개나리꽃
지고 나니

마을 어귀부터
걷는 걸음걸음 축복해 주는
벚꽃이 오고
또 그렇게 지고 나니

먼 산에
진달래 철쭉이 봄 잔치를 연다
그리고 또 그렇게 지고 나니

어디선가
익숙하고 기분 좋은 향이
바람 타고 날아온다

그 향에 잊고 지낸

아련한 추억이 실려있다

아카시아 향이다

달맞이꽃

뜨거운 태양 아래서도
가슴에 한가득 그리움 품고
버티고 피어있네

해 바라는 꽃들이
태양에게 구애를 하느라
한껏 뽐내며 소란을 피우고 비웃어도
너 달맞이꽃은 달 바라는 별난 사랑을
꾹꾹 눌러 담고 달을 기다리네

어둠이 누리에 깔리기 시작할 때
비로소 촉촉한 희망 머금고
서산에 달빛 비추니
그제야 별난 사랑을 노랗게 피우네

토끼풀

겸손한 자와 소통하려
땅으로 기어서 줄기를 뻗는 토끼풀
고개를 숙여야 네가 보이는구나

어린아이 눈높이에 맞춰주느라
땅으로 기어서 피는구나

꽃반지, 꽃팔찌, 꽃목걸이 만들어
시집가고 장가갔던 우리들의
추억을 고스란히 들고
올여름 또 찾아왔구나

꿈 차오른다

황혼 녘
멋진 날갯짓을
겨루던 새들도 조용히 집으로
돌아갈 시간

뜨거웠던 한낮의 태양은
과도한 뽐내기로 지쳐서
서산으로 넘어가는 시간

서산은 태양을 품어주고
태양은 마지막 빛을
노을로 뿜어낸다

뜨거웠던 시간에 가졌던
꿈들을 내려놓을 시간
곧 어둠이 다가올 텐데

꿈 차오른다

어찌하려구.......

유월의 나무

모진 폭풍 속에서도 병든 가지 꺾어내고
추위를 견디도록 도와줄 잎들도
과감히 던져버렸다. 강해지기 위해
맨몸, 맨살로 그 추위를 버텨내었다

이른 봄 탁한 살을 뚫고 나오는
어린 싹들을 보며
하루하루 노심초사 다리 뻗고
잠도 못 잤다

고단함에 잠시 졸고 있는 사이에
나의 나무는 어느새
풍성한 잎들이 가지를 채우고
초록 성장을 했구나

여름밤

후덥지근한 여름밤
무기력으로 답답한 마음과
습한 더위로 끈적거리는
답답한 몸을 달래려
마을 한가운데 큰 언덕 위로 올라가
마을을 내려다본다

네온사인의 화려한 불빛에 기죽어
별들도 할 일 없어 깜박깜박 졸고 있다
술 취한 자들은 마음도 휘청, 몸도 휘청
고단하고 외로운 하루를
네온사인에 맡겨 놓고
술과 수다와 노래로 여름밤을 낚고 있다

네온사인 불빛들 사이에서
셀 수 없이 많은

빨간 십자가 불빛들이 눈에 선명하다
세상을 구원할 십자가가 이토록 넘치니
아프고 고된 영혼들이 더 이상
눈물 흘리지 않기를……

장마전선

하늘이 먹구름을 잔뜩 껴안고 있다
오늘 밤부터 장마가 시작된다고 한다
강가에서 놀고 있는 철부지 어린 새들
어미 새가 날개를 푸덕이며
수선스럽게 목청을 높인다
큰 비가 올 것이니
서둘러 둥지로 돌아가자고
어린 새들을 재촉하는 것 같다

물기 먹은 스펀지처럼 질편한 공기는
금방이라도 비를 뿌릴 듯하다
나뭇잎들도 곧 비가 내릴지 아는 듯
조용히 고개 숙이고 있다

땅 위를 기어다니던 개미들은
땅 깊이 들어갔는지 도통 보이지 않는다

성가시게 날아다니던 잔 벌레들은
두꺼운 나무를 며칠 전부터 상처를 내더니
나무껍질 속으로 숨어버렸나 보다

어제까지 세월을 낚던 낚시꾼도 보이지 않는다

여름비

마른 땅은 갈증에 목이 말라
모자란 숨을 쉬느라 쩍 갈라져 신음하고
태양만 바라보던 풀잎은
물 없이 살 수 없다고 푸념하며
고개를 늘어뜨리고 있다

온 대지가 기다리던 비가 내린다
금방이라도 죽을 것 같던 땅은
갈라진 틈 사이로 빗물이 흘러들어가니
이내 상처가 아물고
상처를 이겨내고는 부쩍 성장해져
초목을 붙드는 힘이 더 단단해진다
풀들은 기지개 활짝 펴고 더 초록 초록해진다

우산도 없이 빗속을 뛰놀던
유년 시절의 웃음소리가 들리는 듯하다
물웅덩이를 골라가며 첨벙첨벙 뛰고
세제 넣고 버튼만 누르면 되는
세탁기도 없는데
빨래 걱정 않고 덩달아 아이들과 박수치며

환호하던,
어른들도 함께 했던 그 여름비

그 여름비처럼 이 여름비가
모든 우울했던 시간들을 씻어내고
내일은 내일에 맡기고
오늘은 그냥 웃을 수 있는
유년 시절의 그 여름비이기를.......

PART Ⅱ 〈그리움〉

그리움

사랑했던 사람과 이별 후
힘겨운 시간들은
끝이 보이지 않는
길고 긴, 암막 터널이다

체념과 고통을 흥정하고서야
비로소 가느다란
빛줄기가 보이고
터널의 출구가 나타난다

그 출구에서 체념을 만나
원망도 희망도 사라지고
그리움만
사랑의 기억을 붙든다

그리움을 견디어 내는 건

모두 각자의 몫인 거다

기억의 변신

흑백사진에 색깔을 입히듯
기억을 추억으로 채색해 본다

기억은 먹으로만 그려서
채 마르기도 전에 넣어둔 수묵화처럼
때로는 아프고
때로는 거칠다

추억은 아픈 기억도 지켜낼 힘을 실어준다

다시는 돌리기 힘든 기억조차도
추억의 힘을 빌리면
가끔은 외로운 생을 살아갈 명약이 된다

기억 헛간

가끔은 기억의 헛간으로 들어가
케케묵어
곰팡이가 폴폴 날리는 기억을
마주할 용기를 낸다
그때 그 시절에
시간에 맡겨놓았던 기억들을……

감히 꺼내어
꾹꾹 눌러두었던
아픈 기억들을
돌아볼 시간을 갖는다

그때의 나는

그때의 나는
이 나이까지 살 줄 몰랐다

그때의 나는
나이가 든다는 것은
인간의 슬픈 숙명이라고만 생각했다

그때의 나는
지금의 내 나이가 되면
생의 최고의 시간들을
그리워하며 외로울 줄 알았다

지금의 나는
아직도 꿈을 꾸고
이제는 적절한 그리움과
외로움으로 생의 깊은 우물을 간직하며

나름대로 감사하고 행복하다

안개

창밖 세상이 뿌옇다
생각에 생각을 하고도
무슨 생각을 했는지
또 생각을 해보는
뿌연 내 머릿속처럼
세상도 뿌옇다

아버지의 집

가난했던 아버지는 가족이 불어나자
허허벌판 갈대 들판에
헐값으로 나온 땅을 샀다

목수였던 아버지는 그 땅바닥에
큰 막대기를 들고
자식들 앞에서 그림을 그렸다
방, 마루, 헛간 그리고 변소......
사각형 안에는 공간의 이름이 채워지고
그 이름이 채워질 때 가슴속에는
이미 그 공간에 들어가 부대끼며 사는
꿈을 꾸었던 것 같다

그 집에서 우리는 행복했던 것 같다
결국은 모두 떠난 그 자리로
다시 돌아와 그 아버지와 가족들의

알콩달콩 했던 일상들을 그리워하고
추억하고 있으니 말이다

흑백 기억

가슴 깊은 한구석에 자리 잡은
흑백 기억 하나를 꺼낸다, 아버지!

들춰내어 돌아보지 못한 기억 하나
슬프지 않을 자신이 없어 큰 돌 하나를
올려놓은 흑백 기억하나……
오늘 그 기억을 꺼내어 추억으로 색칠해 본다

몇 달을 병원에서 보내는 동안
아버지는 생에 대한 미련을
툭툭 버리시고 떠나려 하셨다
하루라도 더 살려내려는 우리들의
애원을 나무라듯
고개를 돌리곤 하셨다
고통이 너무 커서 그러셨을까
아니면, 운명을 받아들이신 걸까

사랑하고 희생하셨던 그날들만을

컬러풀한 추억으로 남기고

그렇게 우리 곁을 떠나셨다

모래시계

책상 위 호리병 모양의 유리그릇
그릇 안에는 모래가 들어있다
그릇 안의 모래는
거의 대부분 아래에 머물러 있다
시간이 유리그릇 안에 갇혀 있다

유리그릇 안에 갇혀있는 모래처럼
기억의 저편에 묻혀있는 시간들이 있다

유리그릇 안에 갇혀버린 시간들!

갇히고 감금당한 기억이 좁은 통로를
스르르 빠져나갈 수 있도록 그릇을 뒤집는다

수제비-뜨덕국

무더운 여름밤
엄마는 밀가루에 물을 넣고
꾹꾹 눌러가며 반죽을 만들었다
끓는 물에 온갖 야채를 넣고
반죽을 뜨덕뜨덕 떼어
끓는 물에 풍덩풍덩 빠뜨렸다

이제 아버지는 돌아올 수 없는
먼 나라로 여행을 떠나고
엄마는 살아온 모든 기억들을
지우개로 지우고 있다

더운 여름에 왜 펄펄 끓여 담아온
뜨거운 수제비를
땀을 뻘뻘 흘리며 열심히 먹고들 있었는지......
배불리 먹었던 행복한 여름에 꽂혀

밀가루를 반죽해 뜨덕뜨덕 떼어

그 여름 추억의 가슴속에 풍덩풍덩 빠뜨린다

소낙비

갑자기 퍼부어서 미처
피할 수 없었다
하늘은 맑고 창연했었다
소나기가 오리라는 생각조차 할 수 없었다
우산도 준비되지 않아 무방비 상태로 맞았다
너무 퍼부어서 그 자리에서
그냥 맞았다

사랑도 그랬다

아버지와 자전거

학교 운동장이다
페달에 발이 겨우 닿는 자전거를
아버지가 뒤에서 밀고 아이는 열심히
페달 질을 한다

운동장 몇 바퀴를 돌았던가
아버지는 슬그머니 손을 놓는 거 같다
그리고 아이는 며칠 만에
능숙하게 자전거를 탈 수 있게 된다

아버지와 함께 동네로 나온다
자전거를 탄다
또래 아이를 보자
서툰 멈춤을 하다가
또래 아이도
자전거를 탄 아이도 다친다

그리고 다시는 자전거를 타겠다는
생각을 해 본 적이 없다
아버지는 아마 아이가 극복하리라고
조용히 기다렸던 것 같다
아이는 커버렸고 밀어주고 잡아주던 아버지는
이 세상 하늘 아래 더 이상 없다

PART Ⅲ 〈삶〉

스승의 무게(스승의 날에)

지난 수 십 년간
누군가의 스승으로 살았다
그리고 지금도
누군가의 스승으로 살고 있다

해마다 오늘이 되면
스승이라고 찾아주는
수많은 제자들 덕분에
행복하기도 하지만
때로는 책임감으로 복잡해지기도 한다

오늘은 스쳐 지나간 수많은 제자들을
떠올리고 그들을 위해 기도해 보련다

괜찮은 걸까?

괜찮은 걸까
둥지로 돌아가다
거센 바람 맞닥뜨린 새들은

괜찮은 걸까
어제까지도 젖을 물렸는데
오늘 무지개다리 건넌 어미를
기다리는 아기 고양이는

괜찮은 걸까
이별하고 돌아와
사는 게 의미 없다며
숨 쉬는 것도 힘들다던 아이는

괜찮은 걸까
이런저런 생각들로

머릿속이 늘 헝클어져있는

나는

시의 우물

시는 머리에서 내려오지 않고
가슴에서 퍼올리는 것이다

가슴속에는 우물이 하나 있다
그리고
두레박으로 생의 크고 작은 소란들을
퍼 올려 시로 탄생 시킨다

누군가는 시로 미소 짓고
누군가는 맘 놓고 울 수 있는
생의 크고 작은 암투들이
살아낼 또 다른 격려가 되기를

언젠가

언젠가 나두
모든 이별에 초연해지는
날이 올까?

언젠가 나두
삶과 죽음의 숙명을
초연히 받아들이는
날이 올까?

황혼

한낮에 뜨겁게 불타던 태양은
서산으로 내려가면서도 사랑에 불타는
연인처럼 식을 줄 모르더니

서산 봉우리에 찔려
사방에 핏빛 붉은 물감을 뿌리고
모든 자존심 내려놓고 돌아간다

물고기를 낚는 건지
하늘의 태양을 바라는 건지
뜨겁던 시간의 열정에 미련을 두는 건지
낚시꾼은 무아의 자세로
방금 놓친 물고기도 잊은 듯
물만 멍하니 바라본다

시든 꽃

수많은 꽃 가운데서
가장 예쁘고 사랑스러웠던
꽃 한 송이가
오늘 아침
시들어 고개를 떨구었다

생의 가망이 희박하다
지탱하는 것이 고통스러워 보인다
잠시라도 꽃대 세워
생을 붙들어주는 것이
나의 욕심일까
꽃의 간절함일까

길 떠난다

꿈꾸는 자 되면 밤을 뒤척인다
새로운 꿈 품고 한양 길에 올랐던
조선시대의 젊은 선비의 마음도 그랬으리라

가는 길에 가시덤불길 있으리라
가는 길에 맹수도 덤벼들 수 있으리라
상처를 입을 수도 있고, 죽을 수도 있다

가는 길에 보기만 해도
절로 비명이 나오는
징그러운 뱀도 있으리라
잠시 멈춘다 해도 꿈을 멈추지는 않았으리라

가는 길이 가시덤불도 맹수도
뱀도 없는 순탄한 길일 수도 있다
모든 두려움은 그저 상상일 수 있다

그 두려움을 안고도
품은 꿈 찾아 길 떠났으리라

길 떠나지 않으면 꿈을 이룰 수 없어
밤새 뒤척인 것은
두려움보다는
꿈을 꾸는 자의 설렘이었기에
모자란 잠 채우지 못하고 길 떠난다

내 사랑

내 사랑!
폰에 등록된 딸아이의
닉네임이다
어릴 적부터 이 아이는
낚싯바늘에 걸린 물고기같이
늘 파닥파닥 거렸다
사소한 기쁨에도
목젖이 보일 정도로 웃어대고
사소한 불편에도 쨍그랑
유리 깨지는 소리로 울어댔다

너무도 사랑스러운 점은
울음은 아주 짧고
웃음은 아주 길었다
예민하게 태어났지만
슬픔은 늘 후다닥 털어냈다

서른이 훅 넘어버린 이 아이는
여전히 무심하거나 무던하지는 않아
엄마의 마음이 마냥 편치는 않지만......
무디지 않은 그 아이의
행복을 오늘도 기도한다

마중물

젊은이들이여
그대들의 꿈, 가슴속 작은 씨앗이
세상의 큰 변화를 가져오도록
포기하지 말고 마음속 불씨를 키워나가요

그대들 가슴의 샘으로부터
물을 퍼 올리도록
손 모아 마중물을 담고 있을게요
한 움큼 마중물이
작은 용기를 큰 파도로 만들어주기를
아무리 가물고 거친 날이 와도
그대들의 샘물 옆에서
손 모아 마중물 담아놓고
기다리고 있을 게요

개구리의 꿈

깊은 우물 속, 차가운 물 아래
작은 개구리가 살고 있다
늘 익숙해서 편하다고 믿는 좁은 공간,
익숙한 돌 벽의 촉감......
그 공간에서 가끔 높이뛰기도 하고
적당히 날아 보기도 하며
적당히 만족한다

그러다가도 어느 날 갑자기
우물 속에서 욕망이 끓어오른다
보지 말아야 할 우물 위를 바라본다
우물의 원 틀로 보이는 자유로운 새들
개구리가 본 것은 기껏 우물 위, 작은 원이지만
그 옆으로 엄청난 세상이 펼쳐져 있음을
누가 말해주지 않아도 알게 된다

드높은 하늘에는 구름이 지나가고

밤이 되면 빛나는 별들은

환시 상태에 이르게 해

닿지 못하는 그 무한의 세계를 가늠케 해준다

하늘을 향해있는 우물 안 개구리는

닿지 못하는 꿈이라는 것을 알고도

꿈을 꾸는 행복한 개구리로 산다

신호등 I

초록 신호가 켜졌다
힘차게 출발을 했지만 허둥댔던 시간들
자유라는 달콤한 꼬임에 넘어가
몸이 망가지는지도 모르게
신명 나게 휘돌아친다
빨간 신호에 멈춰 선 내 인생
사랑 앞에 이별이 그러했고
도전 앞에 실패가 그러했다
거리에 뿌린 수많은 시간들
기다리고 한숨 쉬며 옴짝달싹
못했던 정지 신호등

인생의 리듬은 신호등의 춤
서고, 달리고, 숨죽여 기다리고
그 무수한 반복을 통해
나만의 신호등을 찾으러 길을 떠난다

나무늘보

무덥고 습해서 무기력한 그대를
나무늘보에 비유하지 마라
나무늘보는 무기력한 게 아니고
발톱에 온 힘을 집중시켜
안전지대에서 버티고 있다

나무 위에서 하루의 3분의 2를
자면서 보낸다고 부러워도 마라
나무 위에서 잠을 자기 위해서는
나무를 붙잡을 강한 발톱은
늘 깨어있어야 한다

쳇바퀴

돌리고 돌리고 또 돌린다
어제는 왼쪽 손을 들어 손짓하며
오늘은 오른쪽 손을 들어 주먹을 쥐며
때로는 무심히
때로는 당장 죽어도 이상하지 않을 만큼
온 힘을 모아 탈진하듯 돌린다

왠지 모르게 어떤 날은 재미도 있고
왠지 모르게 어떤 날은 지치기도 한다
어떤 날은 익숙해진 쳇바퀴질이 감사하고
어떤 날은 쳇바퀴질이 고통스럽다

그래도 나는, 쳇바퀴를 돌리고 있다

신호등 Ⅱ

멈추라 해서 멈추고
직진하라 해서 옆길 돌아보지 않고
직진하였다

가끔 옆길로 새어서
흐르는 강물에 발도 담그고
지나가는 사람들에게 세상 얘기도 듣고
어미 잃은 아기 고양이 보살펴주고
그리고도 남는 시간엔 멍도 때리고 싶었다

어느새 가슴속에 자리 잡은
생의 신호등에 맞추어 산다
신호등만 바라보며
가다 서다를 끊임없이 반복하며
가끔 신호등을 꺼두는 반란을 꿈꿔본다

취기

나는 꿈에 취해 있고
너는 술에 취해 있다

아이는 잠에 취해 있고
어미는 아이에 취해 있다

별은 어둠에 취해 있고
사랑은 착각에 취해 있다

누군가 버린 쓰레기는 바람에 취해
통 밖으로 나가려 발버둥 치지만
취한 바람은 쓰레기를 눌러버린다

세상이 온통 취해 있고
정신을 차리려는 누군가는
별난 사람 취급을 받고 있다

정거장

목적지를 향해 달리는
버스가 정거장에서 정차한다
창밖 풍광이 예술이다
지치고 힘들 때마다 마음속에
그렸던 낙원의 모습이다
누군가는 이곳이 목적지이고
누군가는 먼저 다른 곳에서 하차했고
나는 지나가는 중이다
바람이 유혹한다
꽃들도 유혹한다

하차할까? 하차하고 싶다
다시는 목적지로 돌아갈 수 없을까 두렵다
목적지로 돌아가는 길을 잃을 수도 있다
그런데 과연 목적지란 게 있기나 한가
그토록 죽자고 열심히 달려가는

나의 목적지....... 불투명하다

망설이고 주저하다 차는 출발한다

나그네 거리

거리에 온통 낯선 이들이
스쳐 지나간다
매일 지나가는 이 길이
때로는 너무 낯설다
당혹감을 감추지 못하고
서성거린다

처음 살아보는 생이 낯설어
잘 살아냈다는 사람들을
만나보고자 해도
결국은 다른 세상의 거리로 떠났다

그 세상의 거리에서는
낯섦 속에서 이처럼 방황하지 않을까?
가끔은 매일 부딪히는 일상들도
너무 낯설어 당혹스러운데

결국은 이 세상의 거리의 나그네로
살다가 떠나가는 걸까

푸릇푸릇 푸르게

비열한 자들 가까이 가지 않고
선하고 소신 있는 자들 가까이에 가고자 했다

밤낮으로 지혜로운 자의 가르침을
되새기고 곱씹으며 살고자 했다

가뭄에도 시들지 않는 나무의
푸른 잎으로 살고자 했다

굳건한 뿌리를 내리지 못해
가벼운 바람에도 흩어져 버리고
미혹으로 가득 차 불안해하며
나만의 소신을 만들어 나가지 못하고 있다

먹구름

하늘 가득 채운 먹구름
사방 가득했던 뜨겁던 태양의 기운
슬며시 태양이 비에게 자리를 뺏기고
곧 터질 물 폭탄의 기세
다가올 이별의 불편한 낌새

옥상에서

후덥한 여름밤, 무기력하여
옥상에 올라와 한숨 달랜다

멀리 어스름 달빛은 곱기도 하구나
한낮의 태양에 그을린 마음 보상이라도 해주듯
말없이 토닥여주는구나

어디선가 가느다란 바람이 시작되고
머언 옛날의 흐릿한 꿈을 데려다준다

살다 보니 어느새
돛대 없는 나룻배에 홀로 앉아
망망한 호수에 둥둥 떠 있구나
어디로 흘러갈지 알지 못한 채
춤추는 별빛만 멍하니 바라본다

고드름

건드리지 마세요
죽을힘을 다해
버텨본 적 없는 당신, 나는
간신히 매달려있어요

바람 불어도 날이 풀려도
어차피 나는 떨어져
산산조각이 난다는 걸 기억해 줘요

그러니 일부러 건드려
떨어뜨리지 마세요

온 힘을 다해 버티고 있답니다

나에게 오는 길

그대 내게 오는 길이 외길이기를
옆도 뒤도 볼 것 없는
황량한 외길이기를

그리하여 옆도 뒤도 보지 않고
오로지 내 생각만 하고 오기를
그리하여 아무런 고뇌와 갈등 없이
후다닥 오기를

인생은

왜 가고 있는 걸까
그냥 가는 거야
어디로 가고 있는 걸까?
정해놓은 곳이 없어
그럼 왜 가는 걸까?
살아있으니 가는 거야

구름의 무게

바람 끝에서 물 냄새가 난다
물을 안고 불어오는 바람이
무겁고 습하다

이별을 견디는 자처럼
구름은 바람을 견디고 있다

구름은 손을 들면
닿을 것 같은 거리에서
바람이라도 좀 세게 불면
물 폭탄을 쏟아낼 것 같다

이별은 각자 견디어내는 것이라 했다
산다는 건 살아내는 것이라 했다
구름도 잔뜩 물을 품고
그 무게를 견디어 내고 있다

PART Ⅳ 〈귀향〉

노을 산책

그토록 뜨겁던 태양이
서쪽 하늘 끝에 걸려있다
한낮에는 익숙한 강 길이지만
곧 어두워진다는 당연한 상식도
노을을 향해 걸어 나가는
발걸음을 말리지 못한다

멀리 낚싯대를 강물에 던져놓고는
밀짚모자로 얼굴을 덮고
의자에 길게 반쯤 누워있는 낚시꾼이 보인다
물고기 잡는 것 따위는 관심도 없는 듯하다
강물에 물고기를 흘려보내고
그의 시간도 물고기를 따라
흘려보내는 듯하다

태양이 꼴깍, 서쪽으로 넘어간다
아직 남아있는 태양의 잔광은
주변의 구름과 어우러져
자연이 보여줄 수 있는
최고의 명장면을 연출한다

예술가들이 밤에 열광하는 이유를 알 것 같다

아무렇게나 입은 옷도 멋스러운 화가가
이젤과 그림붓을 들고 노을을 담아내는
멋진 장면을 상상해 본다
어느새 나는 그 화가가 되어있다
어쩌면 수없이 꿈꾸었던 장면 중
하나일 것이다
그리고 어쩌면 나는
하고 싶은 것 다할 수 있는
만만한 인생을 꿈꾸었던 것 같다

하고 싶은 것보다 해야 할 것을
곱절로 더하며 터벅터벅 세월을 건너온
시간 속의 내가 안쓰럽다
울컥하며 노을 산책을 접고 집으로 향한다

생의 우물

주어진 생의 작은 조각들을
꿰어나가다 보니
가슴속에 우물 하나가 들어섰다
그 우물 속 깊은 곳에는 수많은
나만의 전설들이 가라앉아 있다

불현듯 막막한 외로움이 찾아올 때
우물 안은 소용돌이가 시작된다
살아온 작은 단편 조각들이
때로는 흐릿하게, 때로는 선명하게
수면 위로 떠오른다

살면서 겪는 수많은 조각들이
우물 속으로 하나씩 하나씩 빨려 들어가
기억의 파편들이 된다
그 기억의 파편들이 흥건하게 우물을 채운다
그리고 하루의 기분에 맞춰
떠올랐다 가라앉았다를 반복하며
삶의 크고 작은 소용돌이를 일으킨다

한탄강, 은하수교 위에서

별들이 유유히 흘러 지나가는 길을
강 위에 만들어 놓았다
태어나서 억겁의 시간을 살고
사라져간 별들처럼
억겁의 시간이 빚어내고
빚어내고 하염없이 빚어낸
다리 아래 물속 바위들은
찰나의 순간을 지나가는
가련한 우리 미생들을
묵묵히 지켜보고 있구나.

별들이 흘러 지나가는 은하수처럼
우리 가련한 미생들이
찰나의 작은 미생임을
성찰할 수 있도록
이곳에 다리를 만들어 놓았구나.

소이산에서

유월, 소이산 꼭대기에 서면
철원 사람들의 젖줄, 철원 평야가
생명력이 넘치는 초록 바다를 이룬다
그 광활한 벼 바다는
무념무상의 경지에 이르게 하여
모든 괴로움과 고통을
다 벗어던지도록 위로한다

평야를 둘러싼 사방의 산들은
평야를 호위하듯 에워싸고
가을이 오면 황금빛 결실을 바라며
어떠한 고난과 역경 속에서도
평야를 지켜내겠다고
굳건하고 묵직하게 서있다

소이산 꼭대기에서 바라보면
멀고도 멀지 않은
북녘의 산봉우리들 너머에는
생이별을 한 채로 살아가는
우리 민족들이 있다
그 아픈 이별이
가슴에 들어와 얹힌다
평야와 하늘이 하나가 되어
그 사이를 떠가는 구름이
이쪽, 저쪽 소식을 전하듯
지평선 너머에서
평화를 향한 간절한 외침이 울린다

서울, 체했다

서울은 늘 도로가 소화불량
한 달 전에 탔던 도로도 소화불량
그전에 왔을 때도 도로는 소화 불량
늘 소화불량을 달고 사는 도로들
서울 친구들은 늘 그러려니 체념

시골에서 태어나
인생의 절반을 보낸 서울
귀향 후 가끔 그려보는 도시생활
늘 체해 있는 도로는
조금이나마 남아있는
도시 귀환의 소망을 접게 한다

모처럼 맘먹고 서울 외출
절반의 시간을
길에 뿌리 고야 겨우 반가운 만남

더 같이 있고 싶은 시간 포기하고 귀향한다

여름 자장가

겨울이 지나고 봄이 오자
언 땅을 파헤치고 튀어나온
개구리 보니 반가워라
밤새 떠들어대는 개구리들의 수다에
동참하여 선잠에도 행복했다

봄볕에 익숙해지니 개구리 수다의
소음에 시끄러워 잠 못 이루었다
하루 이틀 지나면서 그 소리는
할머니가 불러주던 서툴지만
정겨운 육성 자장가로 들린다

이웃 사람들의 도란도란 수다도
불편하기도 하지만
가끔은 정겨운 자장가이다
이렇게 여름밤은

불면 숙면의 범벅으로 지나가고 있다

기와 물결(와수)

어느 먼 옛날
고을 현감이 부임하다
오성산 마루에 올랐다네
사방으로 살펴보니
잔잔한 파도 물결이 웅장하게 보였다네
바다도 아닌 곳에 잔잔한 파도,
그것은 햇빛에 반사되어 아름답게 출렁이는
기와 물결이었다네

기와 물결 넘실대던 내 고향
그곳이 내 고향 瓦水(와수)라네

드넓은 김화 평야와
한탄강 줄기를 기반으로
풍요로운 고장, 와수
웃고 울고 부대끼며 살아온 고향에서

옛날 그 명성을 되새겨보며

그 기운을 느껴보네

반달

초승달을 지나
만월로 가는 길
반달에게 묻는다
큰 꿈을 꾸는 너, 행복하냐고

만월을 지나
초승달로 가는 길
반달에게 묻는다
큰 바다에서 행복했느냐고

거짓말

그대는 저를 아는 가요
저는 그대가 기억에 없습니다
어디선가 그대를 본 것 같긴 합니다
잠시 얘기를 나누었던 것 같은데
쓰잘머리 없는 얘기였는지
기억이 가물가물합니다
어쩌면 그냥 스쳐가는 중이었던 것도 같습니다
정말 기억이 나질 않습니다
부디 그냥 지나가세요

귀향

봄이 오면 먼 산 진달래 철쭉
엄마의 보따리와
그 안에 가득한 나물 그리고 푸른 싱아
흙 내음 온 사방에 가득했던 고향의 언덕
깔깔 시끌, 사방 가득하던 정겨웠던
여름날 밤의 그 골목길

돌아가면 모든 그리움이 허상이었다 해도
외로움을 채워줄 무언가가 없다 해도
고향을 등지고 떠나온 젊은 패기 부질없어
성공일랑, 거창한 꿈을 꾸는
다른 이에게 넘겨주고
남은 여생 울궈먹을 추억하나
가슴 가득 채우고
고향으로 돌아왔다
결국은 돌아와 고향에서 추억을 곱씹고 있다

독자의 말

유영숙 시인의 두 번째 시집은 일상의 심연을 예리하게 들여다보는 통찰력으로 가득합니다. 시인의 창의력은 날카롭고 신선하며, 연륜으로 더 깊이 있는 시적 감성을 만들어내고 있습니다.

〈나그네 거리〉에서 보여주듯, 유영숙 시인의 언어는 간결하면서도 깊이 있습니다. "처음 살아보는 생이 낯설어"라는 구절은 인생의 본질적인 불확실성을 압축적으로 표현합니다. 이러한 표현은 독자로 하여금 자신의 삶을 돌아보게 만드는 강력한 힘을 지니고 있습니다.

유영숙 시인의 작품은 자연과 일상을 유기적으로 융합합니다. 거리의 풍경, 지나가는 사람들, 그리고 그 속에서 느끼는 감정들이 하나의 흐름으로 연결됩니다. 이는 시인의 섬세한 관찰력과 깊은 사유의 결과물로, 일상적 풍경을 시적 언어로 승화시키는 능력이 돋보입니다.

이 시집은 우리에게 일상을 새로운 눈으로 바라

볼 것을 요구합니다. 익숙함 속의 낯섦, 반복되는 일상 속의 새로움을 발견하는 것. 그것이 바로 이 시집이 우리에게 건네는 메시지입니다. 시인은 우리 모두가 이 세상의 '나그네'임을 상기시키며, 그 속에서 느끼는 불안과 당혹감, 그리고 그럼에도 불구하고 계속되는 삶의 여정을 아름답게 그려냅니다.

유영숙 시인의 시 세계는 우리를 더 깊은 사유로, 더 풍부한 감성으로 이끕니다. 이 시집을 통해 독자들은 자신의 일상을 새롭게 바라보고, 삶의 의미를 재발견하는 여정에 동참하게 될 것입니다.

-시집 〈〈홍대 입구 8번 출구〉〉작가 이순주-

유영숙 시인의 시는 자연을 향하고, 나를 향한 시입니다. 시를 읽을 때마다 편안한 자연에 취하게 되고 시인의 글에 위로받곤 합니다. 시인이 취한 세상만큼 독자는 물들기 마련입니다.

자연, 추억, 그리움, 삶에 대한 시로 자신만의 세상을 짓습니다. 그 세상 속에 잠깐씩 여행을 다녀오면 힐링과 위로가 느껴지는 여행이었다는 사실을 깨닫게 됩니다. 항상 시를 쓰면서 위로가 되는 시를 쓰고 싶다고 말하곤 하셨는데 이미 그렇게 하고 있었습니다.

유영숙 시인 덕분에 나는 어떤 시를 쓰고 싶은가를 생각하게 되었고 동기부여를 주는 시를 쓰고 싶다고 생각하게 되었습니다. 혼자 썼더라면 혼자만의 생각에 갇혀 있었을 텐데 같이 모여서 시를 쓰는 경험은 서로 자극이 되고, 보완되고, 시야가 확장되는 느낌이 들었습니다.

-'내 안의 아름다움을 찾아서' 시집 출간 9기 리더, 시집 《마라톤, 시처럼 아름답게》, 《시란 것이 그저 쓸 때 좋으면 그만이여》 작가 김민들레

기억 헛간

발 행 | 2024년 8월 25일
저 자 | 유영숙
편 집 | 김민들레이야기책빵
펴낸이 | 한건희
펴낸곳 | 주식회사 부크크
출판사등록 | 2014.07.15.(제2014-16호)
주 소 | 서울특별시 금천구 가산디지털1로 119 SK트윈타워 A동 305호
전 화 | 1670-8316
이메일 | info@bookk.co.kr

ISBN | 979-11-419-0006-9

www.bookk.co.kr
ⓒ 기억 헛간2024